Los
animales del jardín

El perro
Bernardo

Gemma Armengol
Òscar Julve

AlgaR
EDITORIAL

2

La mariquita Antoñita sale, como cada tarde, a jugar con sus amigas a pasarse la pequeña cerecita. Tienen que evitar que caiga al suelo y se despachurre.

Hoy la pulga Georgina
viene excitadísima por
una gran noticia: está a punto de llegar
su prima Elena que vive en la ciudad.

4

Georgina aún tiene la palabra en la boca
cuando una bestia enorme se acerca.
Huyen a esconderse, deprisa y corriendo,
detrás de una piedra.

Cuando la bestia llega donde están,
oyen a alguien que
saluda:
—¡Hooolaaa... Georgiiiinaaa!
La pulga reconoce la voz de su
prima y sale del escondite
medio temblando aún,
seguida de sus
dos amigas.

9

Elena les presenta al perro donde vive,
Bernardo, que también ha cogido
vacaciones. Deciden organizar una fiesta
de bienvenida.

En un dos por tres, pulgas, garrapatas,
mariquitas, mariposas y luciérnagas
llegan donde está Bernardo y se
encaraman a él. El perro se siente
muy satisfecho de ser tan famoso
en el jardín.

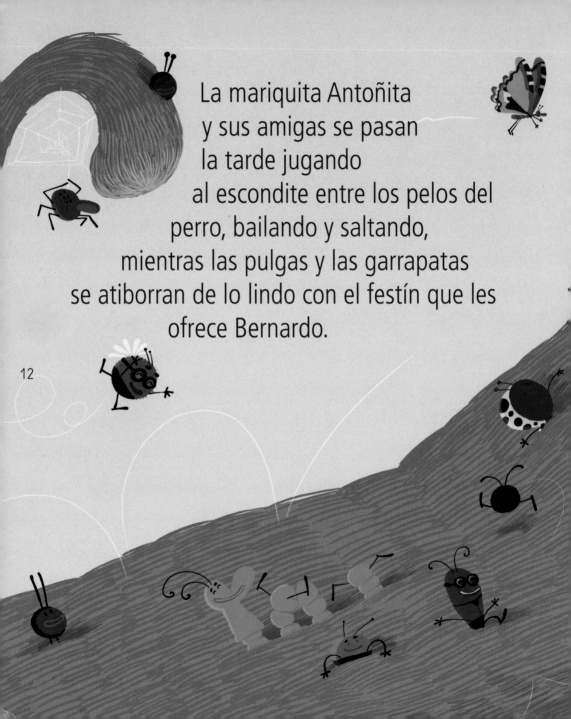

La mariquita Antoñita
y sus amigas se pasan
la tarde jugando
al escondite entre los pelos del
perro, bailando y saltando,
mientras las pulgas y las garrapatas
se atiborran de lo lindo con el festín que les
ofrece Bernardo.

12

14

Al anochecer, la mariquita
Antoñita está cansada y
decide irse con sus amigos;
tan solo las pulgas y
las garrapatas continúan
la fiesta.

15

Muy temprano,
Antoñita va
a ver a
Bernardo
para darle los buenos días y
se lo encuentra rascándose desesperado.
–¿Qué te pasa? –le pregunta
interesada la mariquita.

–¡Estoy reventado!
No he podido
dormir nada, ¡todo
lleno de bichos!

18

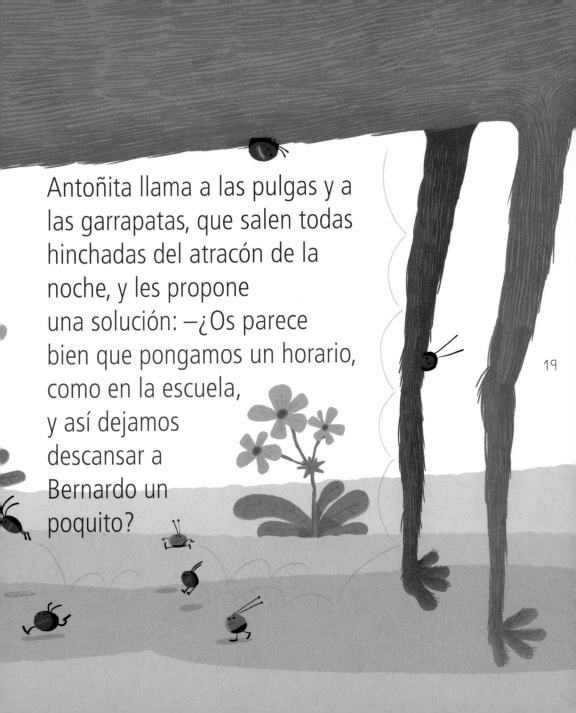

Antoñita llama a las pulgas y a las garrapatas, que salen todas hinchadas del atracón de la noche, y les propone una solución: —¿Os parece bien que pongamos un horario, como en la escuela, y así dejamos descansar a Bernardo un poquito?

19

Los insectos,
cansados como están,
aceptan la propuesta y se
van a casa.
 —¿Jugamos a pasarnos la
cerecita? —proponen las amigas.

La primera que tiran a la
mariquita Antoñita se
le estampa en la cabeza y...
¡queda toda roja!

23

Licencia editorial por cesión de Edicions Bromera, S.L.

Título original: *El gos Bernat*
© Gemma Armengol Morell, 2009
Traducción: Pau Martí Sanjuán, 2009
© Dibujos: Òscar Julve Gil, 2009
© Algar Editorial
   Apartado de correos 225
   46600 Alzira
   www.algareditorial.com
Impresión: T. G. Soler

1a edición: octubre, 2009
ISBN: 978-84-9845-181-8
DL: B-41549-2009